IT'S TIME TO BRUNCH !

pour un réveil en douceur

Sommaire

Salé

Sucré

Temps de préparation
Temps de cuisson
Temps de repos
Coût
Difficulté

Œufs à la coque
de mon enfance

10 minutes | Coût € | Difficulté ☆

Ingrédients pour 2 personnes

- 2 œufs
- 4 tranches de pain de mie complet
- 30 g de beurre cru
- 1 pincée de fleur de sel

Ustensile(s)

- Casserole
- Grille-pain

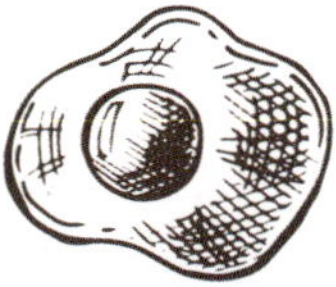

Recette

Porter à ébullition une casserole d'eau. Plonger doucement les œufs dans l'eau et les laisser cuire 3 à 4 minutes. Les sortir et **les déposer** dans un bol avec de l'eau froide pour stopper la cuisson.

Pendant ce temps, **faire griller** les tranches de pain. Les laisser refroidir, puis les tartiner avec le beurre cru. Les parsemer de fleur de sel, puis les couper en bâtonnets de 3 cm.

Couper le bout des œufs et déguster ces derniers en plongeant les bâtonnets de pain dans le jaune d'œuf coulant !

Œufs mollets
façon sandwich

20 minutes Coût Difficulté

Ingrédients pour 2 personnes

- 2 œufs
- 2 tranches de pain de mie
- Beurre
- 8 tranches de bacon
- Huile
- Tomates cerises
- 2 belles feuilles de salade verte
- 2 tranches de fromage type emmental
- Sel, poivre, paprika

Ustensile(s)

- Casserole
- Grille-pain
- Poêle

Recette

Faire cuire les œufs type œufs mollets 3 à 4 minutes dans de l'eau frémissante. Les sortir et les plonger dans de l'eau froide pour stopper la cuisson. **Enlever la coquille** sans les casser, réserver.

Faire griller les tranches de pain, les beurrer. Faire griller les tranches de bacon dans une poêle légèrement huilée. Laver et couper les tomates cerises.

Dresser en commençant par le pain, puis la salade, le fromage, le bacon et enfin l'œuf mollet et les tomates cerises. Ajouter un coup de moulin sel/poivre et un peu de paprika doux. **Entailler** légèrement l'œuf et **déguster !**

Bruschettas
à l'italienne

20 minutes Coût €€ Difficulté ☆

Ingrédients pour 2 personnes

- 6 tranches de pain de campagne
- 1 gousse d'ail
- Huile d'olive
- Tomates cerises
- 100 g de prosciutto crudo (jambon cru chiffonnade)
- 40 g de parmesan frais
- Câpres
- Sel, poivre, origan, basilic

Ustensile(s)

- Poêle/Grille-pain
- Pinceau de cuisine

Recette

Faire griller les tranches de pain dans une poêle ou au grille-pain. **Les frotter** avec la gousse d'ail, puis **les huiler** sur un côté à l'aide d'un pinceau de cuisine.

Couper les tomates cerises en deux et les faire rôtir légèrement **dans une poêle chaude** avec un peu d'huile d'olive et d'origan sec.

Dresser les bruschettas en posant les tranches de jambon cru, puis les tomates cerises, le parmesan fraîchement coupé **en fines tranches**, les câpres et quelques feuilles de basilic frais.

Déguster !

SINCE

Muffins chèvre, tomates séchées et pignons

30 minutes | 20 minutes | Coût € | Difficulté ☆

Ingrédients pour 8 muffins

- 6 tomates confites
- 70 g de fromage de chèvre
- 3 œufs
- 100 g de yaourt à la grecque
- 50 ml d'huile d'olive
- 50 ml de lait tiède
- 150 g de farine de blé
- ½ sachet de levure chimique
- 3 c. à soupe de pignons de pin
- Sel, poivre
- Fromage aux herbes (facultatif)

Ustensile(s)

- Fouet
- Caissettes à muffins en papier
- Moule à muffins en métal

Recette

Couper les tomates confites et le fromage en petits dés, réserver.

Battre les œufs avec le yaourt, ajouter l'huile d'olive et le lait tiède. **Ajouter** la farine en pluie et la levure chimique. **Bien mélanger** pour ne pas avoir de grumeaux. **Ajouter** le fromage, les tomates confites et les pignons de pin. **Mélanger** puis verser la pâte dans des caissettes à muffins en papier et les déposer dans les cavités du moule à muffins en métal. **Enfourner** à 180 °C pour 20 minutes.

Déguster tiède ou froid avec un *topping* de fromage aux herbes pour plus de gourmandise.

Miniquiches façon tortillas à la mexicaine

15 minutes | 20 minutes | Coût € | Difficulté ☆

Ingrédients pour 2 personnes

- 1 poivron rouge
- 1 petit oignon rouge
- Huile d'olive
- 1 steak haché
- 100 g de maïs en bocal
- 2 œufs
- 50 ml de crème liquide
- 50 ml de lait
- 50 g de fromage râpé
- Sel, poivre
- Épices à la mexicaine ou un peu de paprika doux et de piment
- 2 tortillas de blé

Ustensile(s)

- Poêle
- Fouet
- Moules à quiche

Recette

Laver, sécher et couper le poivron rouge en petits dés. Ciseler l'oignon, puis faire revenir le poivron et l'oignon en morceaux dans une poêle chaude avec un peu d'huile d'olive. Ajouter ensuite la viande hachée et laisser revenir le tout quelques minutes. **Réserver**. Dans la même poêle, **faire griller** le maïs quelques minutes afin que l'eau s'évapore et fasse ressortir son côté sucré.

Battre les œufs avec la crème liquide et le lait. **Ajouter** le fromage râpé puis les autres ingrédients. Saler, poivrer et assaisonner avec les épices.

Couper les tortillas selon le diamètre des moules à quiche (ici 15 cm) et les déposer au fond des moules. **Verser** la préparation et enfourner à 180 °C pour 20 minutes.

Servir tiède ou froid.

Gaufres
à la patate douce

30 minutes | Coût | Difficulté

Ingrédients pour 2 personnes

- 150 g de patate douce (une patate de taille moyenne)
- 2 œufs
- 100 ml de lait
- 50 ml d'huile d'olive
- 100 g de farine
- Sel, poivre
- Herbes aromatiques (facultatif)

Ustensile(s)

- Casserole
- Mixeur
- Gaufrier

Recette

Faire cuire la patate douce pendant 20 minutes dans une casserole d'eau bouillante.

Mixer pour obtenir une purée bien lisse, ajouter si nécessaire un peu de lait.

Mélanger ensuite la purée froide avec les œufs, le lait et l'huile.

Ajouter la farine et mélanger pour obtenir une pâte lisse, elle sera assez épaisse, c'est normal.

Assaisonner avec le sel, le poivre et les herbes aromatiques pour la gourmandise.

Faire cuire les gaufres, puis les servir accompagnées d'un œuf, de salade, d'un avocat ou d'autres légumes selon l'envie.

Gaufres épinards et saumon fumé

30 minutes — Coût €€ — Difficulté ☆

Ingrédients pour 2 personnes

- 50 g de flocons d'avoine
- 50 g de farine
- 100 g d'épinards frais
- 2 œufs
- 100 ml de lait
- Sel, poivre
- Saumon fumé
- Fromage à tartiner
- Légumes frais

Ustensile(s)

- Blender
- Gaufrier

Recette

Déposer dans un blender les ingrédients suivants : flocons d'avoine, farine, épinards préalablement lavés, œufs et lait.

Mixer quelques secondes pour obtenir une pâte bien lisse. Assaisonner.

Faire cuire les gaufres, puis les tartiner avec le fromage, ajouter une belle tranche de saumon fumé, quelques légumes frais et **déguster**.

Croque-monsieur du soleil

15 minutes | 15 minutes | Coût €€ | Difficulté ☆

Ingrédients pour 2 personnes

- 4 tranches de pain de mie complet
- 2 belles tranches de jambon aux herbes
- 100 g de parmesan frais
- 1 poivron
- Olives vertes
- 1 noisette de beurre
- 2 c. à soupe de fécule de maïs
- 200 g de lait
- Huile d'olive
- Sel, poivre, muscade

Ustensile(s)

- Casserole
- Grille-pain/Poêle

Recette

Préparer la sauce béchamel. Dans une petite casserole, faire fondre une noisette de beurre, ajouter le lait et la fécule de maïs, assaisonner et mélanger **jusqu'à ce que la préparation épaississe**.

Faire griller légèrement les tranches de pain de mie. Couper le poivron en fines tranches et le faire revenir dans une poêle chaude avec un peu d'huile d'olive.

Badigoonner l'intérieur de chaque tranche de pain de sauce béchamel, puis dresser le croque-monsieur : déposer une couche de parmesan râpé, puis le jambon, le poivron grillé et quelques olives vertes, une nouvelle couche de parmesan et la deuxième tranche de pain. **Ajouter** un peu de sauce béchamel sur le dessus du croque-monsieur, saupoudrer de parmesan et enfourner à 180 °C pour 10 à 15 minutes, le temps que le fromage puisse fondre. **Déguster tiède !**

Petits chaussons thon, œufs et tomates séchées

30 minutes | 20 minutes | Coût € | Difficulté ☆☆

Ingrédients pour 2 personnes

- 1 pâte brisée
- 1 boîte de thon
- 1 œuf
- 1 échalote
- 1 jaune d'œuf
- 10 tomates séchées
- Quelques brins de persil
- 50 g de fromage à tartiner
- 2 c. à soupe d'huile d'olive
- Sel, poivre, paprika
- Sauce tomate aux herbes (facultatif)

Ustensile(s)

- Casserole

Recette

Faire cuire l'œuf façon œuf dur, le laisser refroidir, puis l'écaler et l'écraser à l'aide d'une fourchette. Ciseler l'échalote, émietter le thon et couper finement le persil et les tomates. **Mélanger** le tout dans un saladier, ajouter le fromage à tartiner et l'huile d'olive. Saler, poivrer.

Étaler la pâte brisée et réaliser 8 ronds de 7 cm de diamètre. Déposer 1 cuillère à soupe de farce sur chaque disque de pâte, puis rabattre la moitié de la pâte sur l'autre moitié et souder les bords en les pinçant à la main ou à l'aide d'une fourchette. **Badigeonner** les chaussons avec un jaune d'œuf et enfourner à 180 °C pour 20 minutes environ.

Servir chaud avec une sauce tomate aux herbes.

Sandwichs-croissants à l'italienne

10 minutes   Coût €   Difficulté ☆

Ingrédients pour 2 personnes

- 2 gros croissants
- 1 boîte de billes de mozzarella
- 3 c. à soupe de pesto alla genovese
- 10 tranches de pancetta très fines
- Tomates cerises
- Roquette

Recette

Griller la pancetta dans une poêle bien chaude. Faire rôtir les tomates cerises quelques minutes dans la même poêle.

Dresser le sandwich : couper le croissant en deux. Tartiner les deux côtés avec le pesto.

Ajouter la pancetta, les billes de mozzarella et les tomates cerises.

Servir avec un peu de roquette.

Ustensile(s)

- Poêle

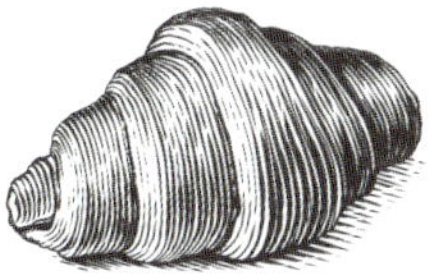

Granola maison
amande et chocolat

10 minutes | 20 minutes | Coût € | Difficulté ☆

Ingrédients pour 2 personnes

- 100 g de flocons d'avoine
- 50 g d'amandes
- 30 g de graines de courge
- 50 g de purée d'amande complète
- 20 g de miel ou de sirop d'agave
- 20 cl d'eau
- 10 g d'huile de coco
- 1 pincée de fleur de sel
- 50 g de pépites de chocolat noir
- 30 g de cranberries séchées

Ustensile(s)

- Casserole
- Pot hermétique

Recette

Dans un grand saladier, **mélanger** les flocons d'avoine avec les amandes (on peut éventuellement les couper en deux) et les graines de courge.

Dans une petite casserole, **faire chauffer** le miel ou le sirop d'agave avec la purée d'amande, l'huile de coco et l'eau pour obtenir un mélange homogène. **Ajouter** la pincée de sel. Verser le contenu de la casserole sur le mélange sec et bien enrober le tout. Déposer le granola sur une plaque allant au four. **Enfourner** à 160 °C pour 20 minutes en mélangeant de temps en temps pour bien faire dorer le granola de façon homogène.

Le sortir du four, **le laisser refroidir complètement** et ajouter ensuite les pépites de chocolat et les cranberries. **À conserver** dans un pot fermé hermétiquement.

Déguster à volonté !

BRUNCH

Overnight porridge
fruits rouges

5 minutes · Coût € · Difficulté ☆

Ingrédients pour 2 personnes

- 50 g de flocons d'avoine
- 2 c. à soupe de sirop d'érable
- 1 c. à soupe de graines de chia
- 1 poignée de noix de cajou
- 100 ml de lait de soja
- Fruits rouges
- Noix
- 1 c. à soupe de pâte à tartiner ou de chocolat fondu pour la gourmandise

Ustensile(s)

- Pot hermétique

Recette

Mélanger les flocons d'avoine avec le sirop d'érable, les graines de chia et les noix de cajou. **Ajouter** le lait.

Verser la préparation dans un pot fermé hermétiquement et le déposer toute la nuit au frigo.

Le matin, verser le porridge dans un bol, **ajouter** le *topping* : des fruits rouges, des noix et 1 cuillère à soupe de pâte à tartiner ou de chocolat fondu et servir.

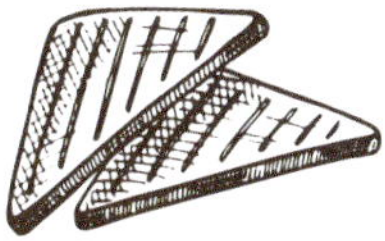

Scones à l'anglaise

30 minutes | 15 minutes | Coût € | Difficulté ☆

Ingrédients pour 6 scones

- 40 g de beurre pommade
- 10 g de sucre
- 100 ml de lait tiède
- 150 g de farine
- ½ c. à café de levure chimique
- 1 pincée de sel
- 1 jaune d'œuf
- Crème fraîche
- Confiture de fraises

Ustensile(s)

- Planche
- 1 emporte-pièce rond de 5 cm de diamètre

Recette

Mélanger le beurre pommade avec le sucre, puis ajouter le lait et enfin la farine et la levure chimique. **Ajouter** une pincée de sel. **Ne pas trop travailler la pâte**. Faire une grosse boule et laisser reposer 15 minutes.

Étaler ensuite la pâte sur une planche farinée sur une épaisseur de 2 cm. Former 6 scones à l'aide d'un emporte-pièce rond de 5 cm de diamètre. Les déposer sur une plaque allant au four. **Badigeonner** le dessus avec un jaune d'œuf et enfourner à 180 °C pour 15 à 20 minutes environ.

Servir avec de la crème fraîche épaisse et de la confiture de fraises.

Brioche perdue
caramel au beurre salé

20 minutes Coût € Difficulté ☆

Ingrédients pour 2 personnes

Pour le caramel

- 250 g de sucre
- 20 cl de crème liquide
- 50 g de beurre demi-sel

Pour la brioche perdue

- 4 tranches de brioche sèche
- 2 œufs
- 30 ml de crème liquide
- 1 noisette de beurre doux
- Fruits rouges

Ustensile(s)

- Casserole
- Grille-pain
- Poêle

Recette

Préparer le caramel. Dans une casserole, **faire fondre** le sucre doucement durant 10 minutes environ. Pas besoin de mélanger. Quand le sucre a bruni, **ajouter** en deux fois la crème liquide tout en mélangeant. Ajouter ensuite le beurre demi-sel et bien mélanger pour obtenir un caramel lisse.

Préparer la brioche perdue. Couper 4 tranches de brioche et les faire griller légèrement au grille-pain. Battre les œufs avec la crème liquide et y faire tremper les tranches de brioche.

Faire fondre une noisette de beurre doux dans une poêle et cuire doucement les tranches de brioche quelques minutes de chaque côté.

Dresser dans une assiette, ajouter les fruits rouges et un beau filet de caramel au beurre salé, **déguster !**

Banana bread
au pralin de noisettes

10 minutes | 30 minutes | Coût € | Difficulté ☆

Ingrédients pour 2 personnes

- 150 g de farine de blé
- 50 g de poudre d'amandes
- 1 c. à soupe de cacao en poudre
- 1 c. à café de cannelle
- ½ sachet de levure chimique
- 100 g de pralin de noisettes
- 2 bananes bien mûres
- 1 trait de jus de citron
- 3 œufs
- 80 g de sucre de coco
- 80 g d'huile de coco
- 100 ml de lait végétal

Ustensile(s)

- Batteur électrique
- Moule à cake

Recette

Mélanger les ingrédients secs: farine, poudre d'amandes, cacao en poudre, cannelle, levure chimique et pralin.

Écraser une banane à la fourchette afin d'obtenir une belle purée, arroser d'un trait de jus de citron pour l'empêcher de s'oxyder. Garder l'autre banane pour le *topping*.

Faire mousser les œufs avec le sucre de coco pendant 5 minutes environ, puis ajouter l'huile de coco et le lait végétal. Ajouter par la suite la purée de banane, bien mélanger. Finir par ajouter le mélange d'ingrédients secs. Quand il n'y a plus de grumeaux, **verser** la préparation dans un moule à cake préalablement graissé.

Couper la banane restante en deux et déposer les deux moitiés sur le dessus du cake. Enfourner à 180 °C pour 30 minutes environ.

Déguster tiède ou froid !

Madeleines
à la praline rose

10 minutes | 13 minutes | Coût | Difficulté

Ingrédients pour 12 madeleines

- 2 œufs
- 50 g de sucre
- 1 pincée de sel
- 50 g de beurre
- 100 ml de lait
- 150 g de farine de blé T55
- ½ sachet de levure chimique
- 50 g de praline rose
- 1 sachet de sucre vanillé
- 150 g de sucre glace
- 1 blanc d'œuf

Ustensile(s)

- Batteur électrique
- Moule à madeleines

Recette

Faire mousser les œufs avec le sucre et le sel, puis ajouter le beurre fondu et tiédi, le lait tiède, et bien mélanger. Dans un bol, mélanger la farine avec la levure chimique. Ajouter ce mélange en pluie sur le mélange précédent. Bien incorporer pour obtenir une pâte lisse. **Ajouter** ensuite la praline rose.

Laisser reposer la pâte au frigo de 30 minutes à 1 heure ou bien pendant toute une nuit. C'est le choc de température qui fera la belle bosse des madeleines.

Beurrer le moule à madeleines et y verser la pâte jusqu'aux ¾ à l'aide d'une cuillère à soupe. Enfourner à 180 °C pour 13 minutes. **Les laisser refroidir complètement.** Pendant ce temps, réaliser le glaçage royal. Battre le blanc d'œuf avec le sucre glace pour obtenir une consistance bien ferme. Tremper le bout de chaque madeleine dans le glaçage royal puis parsemer de praline rose et le laisser se raffermir.

Pancakes express
à la banane

20 minutes | Coût € | Difficulté ☆

Ingrédients pour 12 pancakes

- 1 banane
- 2 œufs
- 30 g de sucre
- 30 g d'huile de coco
- 100 ml de lait
- 150 g de farine
- ½ sachet de levure chimique
- 1 banane à faire rôtir avec du sirop d'érable pour le *topping*

Ustensile(s)

- Batteur électrique
- Poêle

Recette

À l'aide d'une fourchette, réduisez la banane **en purée**.

Faire ensuite **mousser les œufs** avec le sucre, ajouter l'huile de coco, puis le lait et la purée de banane. Ajouter ensuite la farine et la levure chimique. La pâte est assez épaisse.

Faire cuire doucement les pancakes dans une poêle chaude pour les faire légèrement brunir. Utiliser un couvercle pour une cuisson uniforme.

Servir avec un *topping* de banane rôtie au sirop d'érable.

Carrot cake
à l'américaine

10 minutes | 30 minutes | Coût € | Difficulté ☆

Ingrédients pour 2 personnes

- 200 g de farine T65
- ½ c. à café d'épices pour pain d'épices
- 1 sachet de levure chimique
- 200 g de carottes râpées
- 1 noisette de beurre
- 3 œufs
- 80 g de sucre complet
- 100 ml d'huile neutre type pépins de raisin
- 150 g de fromage type Philadelphia®
- 50 g de beurre doux
- 100 g de sucre glace

Ustensile(s)

- Économe
- Moule
- Batteur électrique

Recette

Dans un saladier, **mélanger** les ingrédients secs : la farine, les épices et la levure chimique.

Laver, sécher et râper les carottes.

Faire mousser les œufs avec le sucre. Ajouter l'huile, puis le mélange sec. Mélanger avec de grands gestes pour incorporer de l'air. Ajouter les carottes râpées puis verser la préparation dans le moule préalablement beurré.

Enfourner à 180 °C pour 30 minutes. Laisser refroidir quelques minutes avant de démouler.

Préparer le glaçage. Mélanger le fromage et le beurre. Il est impératif qu'ils soient à température ambiante. Ajouter ensuite le sucre glace. Déposer une belle couche de cette crème sur le dessus du gâteau et déguster.

Cookies-brownies

10 minutes | 10 minutes | Coût € | Difficulté ☆

Ingrédients pour 12 cookies

- 200 g de chocolat noir
- 70 g de beurre
- 2 œufs
- 50 g de sucre vergeoise
- 50 g de farine
- ½ sachet de levure chimique

Ustensile(s)

- Casserole
- Batteur électrique
- Cuillère à glace

Recette

Faire fondre le chocolat avec le beurre au bain-marie. Laisser refroidir légèrement, ajouter ensuite les œufs battus avec le sucre et bien mélanger. **Ajouter** en pluie la farine et la levure chimique, mélanger.

À l'aide d'une cuillère à glace, **déposer** 12 tas de pâte sur une plaque de cuisson.

Enfourner à 180 °C pour 10 minutes. Sortir la plaque du four et la laisser refroidir. Les cookies vont durcir, mais vont rester fondants à l'intérieur.

Déguster !

POUR UN REVEIL

Crumpets maison

10 minutes | 30 minutes | 1 heure

Coût € Difficulté ☆

Ingrédients pour 2 personnes

- 150 g de farine
- 5 g de levure boulangère
- 2 œufs
- 40 g de beurre fondu
- 30 g de sucre
- 100 ml de lait tiède
- 20 cl d'eau tiède
- Beurre
- Confiture

Ustensile(s)

- Torchon propre
- Poêle
- Emporte-pièce haut de 3 à 5 cm

Recette

Verser la farine dans un saladier, faire un trou au milieu et délayer la levure boulangère avec un peu d'eau tiède. Laisser agir 5 minutes. Ajouter ensuite les œufs, le beurre fondu, le sucre et le lait petit à petit. **Couvrir** le saladier d'un torchon propre et laisser reposer 1 heure près d'une source de chaleur. La pâte devra gonfler et doubler de volume, il y aura plein de petites bulles. Ne surtout pas mélanger la pâte à ce stade !

Faire chauffer une poêle, ajouter un peu de matière grasse et déposer une louche de pâte dans l'emporte-pièce. Laisser cuire très doucement le crumpet afin d'obtenir les trous typiques de ce gâteau.

Servir avec du beurre et de la confiture.

2, rue Chantal-Mauduy
91280 Saint-Pierre-du-Perray
Recettes et photos : Elena Bogdan
Graphisme : Caroline Vidon-Geni
Dépôt légal : 04/2025